La philosophie expliquée à ma fille

Du même auteur

AUX ÉDITIONS DU SEUIL

Le Clonage humain
(avec Henri Atlan, Marc Augé,
Mireille Delmas-Marty, Nadine Fresco)
2000

Les Religions expliquées à ma fille
2000

Fous comme des sages
Scènes grecques et romaines
(avec Jean-Philippe de Tonnac)
2002

Le Culte du Néant
Les philosophes et le Bouddha
1997, 2004

L'Oubli de l'Inde
Une amnésie philosophique
2004

AUX ÉDITIONS ODILE JACOB

Des idées qui viennent
(avec Dan Sperber)
1999

101 expériences de philosophie quotidienne
(Prix de l'essai France-Télévision 2001)
2001, 2003

La liberté nous aime encore
(avec Dominique Desanti et Jean-Toussaint Desanti)
2002

La Compagnie des philosophes
1998, 2002

La Compagnie des contemporains
Rencontres avec des penseurs d'aujourd'hui
2002

Dernières nouvelles des choses
Une expérience philosophique
2003

Roger-Pol Droit

La philosophie expliquée à ma fille

Éditions du Seuil

ISBN 2-02-061044-2

www.seuil.com

À toutes celles et à tous ceux
qui se posent des questions
et ne se contentent pas des réponses

Pourquoi ce livre

Philosophie est un mot qui, souvent, fait peur. On imagine des questions terriblement compliquées, un vocabulaire énigmatique, des livres dont on ne comprend même pas le titre. Un univers à part, réservé à quelques rares spécialistes, qui sont peut-être des extraterrestres. Bref, ce ne serait pas une activité pour tout le monde. On se trompe, en croyant cela.

Car tout le monde, en particulier les enfants, et les adolescents, s'interroge sur le sens de la vie, sur la mort, la justice, la liberté et autres questions essentielles. Chacun d'autre part est capable de réfléchir, de raisonner, de parvenir à organiser ses idées. Et il ne faut rien d'autre pour commencer à faire de la philosophie : des questions, et la capacité de réfléchir.

Mais, si l'on est trop vite rassuré, on risque de tomber dans un autre piège. La philosophie devient tellement simple, tellement à la portée de tous, tellement banale qu'elle perd tout intérêt. Tout le monde ferait de la philo, comme on respire, du matin au soir, sans même s'en rendre compte. On se trompe encore, en croyant cela.

La philosophie n'est ni un casse-tête ni une activité naturelle et spontanée. On peut la pratiquer à différents niveaux, comme on fait de la musique, du sport ou des mathématiques, en débutant ou en praticien confirmé, en amateur ou en professionnel.

L'essentiel est de bien commencer, loin des illusions, des préjugés ou des vues floues. Là est le but de ce livre : donner aux plus jeunes débutants une idée aussi accessible et aussi juste que possible de ce qu'on nomme « philosophie », de son unité et de sa diversité.

J'espère que ce petit volume aura une utilité réelle pour les filles et les garçons qui veulent commencer à savoir ce qu'est cette activité de l'esprit. Car elle constitue une source inépuisable de joie, d'étonnement et de liberté.

Je veux insister sur ce point, avant de laisser place au dialogue que j'ai eu avec ma fille Marie l'année de ses seize ans, mais que pourront suivre facilement des lecteurs plus jeunes. Toute ma vie, j'ai lu des philosophes. Je les ai étudiés et commentés. J'ai aussi fréquenté un bon nombre de ceux qui vivent aujourd'hui. J'ai même ajouté quelques livres de ma façon à tous ceux qui existent déjà dans le domaine de la philosophie.

Malgré tout, je suis toujours surpris. Par la diversité des philosophies. Par les idées curieuses, incroyables, inattendues qui se forment dans les cerveaux humains. Par l'intelligence et la subtilité des analyses. Par la liberté extraordinaire qui se dégage d'un univers mental où aucune discussion n'est jamais interdite, aucune possibilité n'est censurée, aucune critique n'est écartée.

Cette ouverture d'esprit est ce qui fait la force inépuisable de la philosophie. Elle me paraît indispensable, parce que je suis devenu convaincu que l'on vit comme on pense. On vit petitement si l'on pense petitement. On vit librement si l'on pense librement. La pensée n'est jamais sans conséquence sur notre existence, personnelle ou collective.

J'ai donc le sentiment très vif d'une responsabilité particulière dans la transmission d'une première voie d'accès vers la philosophie. Je crois avoir fait de mon mieux, mais je sais que la perfection, qui existe peut-être dans certains de nos rêves, est normalement absente de la réalité.

1

Chercher des idées vraies

– *Alors, c'est quoi, la philosophie ?*

– Nous allons chercher. Et j'espère bien que nous trouverons. Mais ne t'attends pas à une réponse immédiate. Ça ne peut pas s'expliquer en une phrase.

– *Essaie !*

– Non, ça n'arrangerait rien. Un dictionnaire te dira, par exemple, que le mot « philosophie » peut vouloir dire, en grec ancien, « amour de la sagesse ». Tu penseras probablement que ça doit être très ennuyeux. Parce que « sagesse » évoque forcément le « sois sage ! » que les enfants détestent entendre. Tu ne seras donc pas bien avancée, parce qu'il faudra se demander ce qu'on appelle « sagesse », en quoi ça consiste. Tu auras appris ce que veut dire le mot « philosophie », mais tu ne sauras toujours pas ce qu'est réellement la philosophie.

– Si le sens du mot m'est donné, je sais forcément ce que c'est !

– Pas du tout. Quand tu apprends que le mot « Japon » est le nom d'un pays d'Asie, ce n'est pas pour ça que tu connais le Japon. Ou bien, imagine un enfant ne sachant pas ce que veut dire le mot « mathématiques ». Tu lui donnes une définition : « une science des nombres et des figures ». Maintenant, l'enfant connaît le sens de ce mot. Il peut éventuellement s'en servir. Diras-tu qu'il sait ce que sont les mathématiques ?

– Non, bien sûr.

– Tu vois... le mot ne suffit pas ! Connaître quelque chose, ce n'est pas seulement savoir un mot, c'est aussi, forcément, faire une expérience. Tu connais ce qu'on appelle « mathématiques » quand tu commences à faire des calculs et des démonstrations, de l'arithmétique, de l'algèbre ou de la géométrie. Et le Japon, tu vas le connaître en lisant des livres, en voyant des expositions et des films et bien sûr en y allant !

– Alors on peut dire que pour connaître la philosophie, il faut y aller ?

– Absolument ! Tu as très bien saisi. La philosophie, il faut y aller. Pourtant, ce n'est pas un pays, un lieu où l'on pourrait se rendre. C'est plutôt, comme les mathématiques, une activité.

– D'accord, mais alors on fait quoi, quand on fait de la philo ?

– On cherche à savoir la **vérité**. Voilà une pas mauvaise base de départ : la philosophie, c'est une activité qui cherche la vérité. Mais ça ne suffit pas. Un inspecteur de police cherche aussi la vérité. Quand il mène une enquête, s'il s'agit d'un meurtre, il cherche à savoir qui est l'assassin. Pour cela, comme tu sais, il va examiner l'emploi du temps de chaque suspect, comparer toutes les versions, confronter les témoignages… et réfléchir ! Il ne va croire personne sur parole, et il va mettre en doute, systématiquement, tout ce qu'on lui raconte.

Les philosophes en font autant. Pour chercher la vérité, ils n'hésitent pas à mettre en examen leurs convictions et leurs croyances. Ils peuvent même considérer comme suspectes leurs propres idées. Mais ce ne sont pas des inspecteurs de police ! Il y a toutes sortes de gens qui s'occupent de chercher quelque chose de vrai. À part les enquêteurs, dans la catégorie des chercheurs de vérité, tu verrais qui ?

– Je ne sais pas… Peut-être les historiens ? Ils veulent trouver la vérité sur les événements du passé.

– Oui, si tu veux, c'est une possibilité. Et les scientifiques ? À ton avis, on doit les mettre dans les chercheurs de vérité ?

– Oui, bien sûr. Mais ils cherchent la vérité sur des problèmes de chimie, ou de physique, ou de biologie !

– Exact ! Tu vois facilement ce qu'on doit conclure de nos exemples : les inspecteurs de police, les historiens, les scientifiques (et bien sûr d'autres gens encore) ont en commun de chercher la vérité, mais dans des domaines très différents. Il me semble que pour avancer dans notre enquête à nous, qui porte sur ce que font les philosophes, nous avons un problème à résoudre. Tu vois lequel ?

– Je pense qu'il va falloir trouver dans quel domaine les philosophes cherchent la vérité.

– Excellent ! Eh bien, à ton avis, quel est ce domaine où les philosophes cherchent la vérité ? S'occupent-ils des criminels, comme les policiers ? Des réalités de la physique ou de la chimie, comme les scientifiques ?

– Non ! Je pense plutôt qu'ils doivent s'occuper de la justice, de la liberté, des choses de ce genre…

– Tu as raison, mais il faut préciser. Il est vrai que des philosophes ont cherché la vérité dans le domaine de la **morale** (savoir ce qui est bien et ce qui est mal, définir ce qui est juste et ce qui ne l'est pas) ou de la **politique** (les citoyens et le pouvoir, l'organisation des décisions). Mais ce ne sont pas les seuls domaines. Quand on commence à découvrir la philosophie, on est frappé par le nombre et la diversité des thèmes. Les philosophes s'intéressent en effet aux sciences, à l'art, à la logique, à la psychologie, à la politique, à l'histoire… Et pourtant ils ne sont ni scientifiques, ni artistes, ni logiciens, ni psychologues, ni politiciens, ni historiens…

– Là, je ne comprends plus. Ils s'intéressent à tout, et ils ne sont spécialistes de rien ?

– Encore un instant, et je crois que tout cela peut devenir beaucoup plus facile à comprendre. Reprends les éléments, on dirait presque une devinette : que peuvent faire des gens qui cherchent la vérité dans un domaine (les mathématiques, la morale ou l'art) sans être des experts qui travaillent dans ce domaine ?

– Le mystère se poursuit… C'est très bizarre.

– Ceux qui cherchent la vérité en mathématiques, normalement, ce sont les mathématiciens. En histoire, les historiens. Et ainsi de suite. Si les philosophes cherchent eux aussi la vérité dans tous ces domaines, ils doivent le faire d'une manière spéciale, comme s'ils travaillaient dans un domaine qui traverse tous les autres. La solution n'est pas loin : c'est dans le domaine des **idées** que les philosophes cherchent la vérité. Chaque fois que tu veux comprendre comment un philosophe se situe dans un domaine, tu peux commencer par ajouter « idée de »… Le philosophe ne s'occupe pas de la justice comme un avocat ou un juge. Il s'occupe de « l'idée » de justice. Il ne s'intéresse pas au pouvoir de la même façon que l'homme politique, il cherche à creuser « l'idée » de pouvoir.

Et ça marche de cette façon dans tous les domaines. Ainsi, en mathématiques, le philosophe va s'occuper de l'idée de preuve, ou de l'idée de démonstration, ou encore de l'idée de nombre. En histoire, il va s'intéresser à l'idée d'événement, ou de révolution, ou de violence, ou encore à l'idée de paix. En morale, il s'intéressera à l'idée de bien et à l'idée de mal. Ou encore aux idées de faute, de responsabilité, de règle.

Ainsi, tu peux comprendre à présent comment, en travaillant dans ce domaine des idées, qui traverse tous les autres domaines, les philosophes peuvent toucher à des tas de spécialités sans être des spécialistes ?

– En fait, ce sont des spécialistes des idées !

– Exact. Il faut ajouter que cette recherche de la vérité dans le domaine des idées peut presque toujours prendre la forme d'une question : « quelle est vraiment l'idée de… ? » À la place des trois petits points, tu peux mettre « liberté », « œuvre d'art », « pouvoir », « justice », « individu », « âme », « homme », « dignité »… et des dizaines et des dizaines d'autres. Ce que cherchent les philosophes, finalement, c'est la meilleure définition possible de chaque idée. Et, parmi ces définitions, ils cherchent laquelle est vraie.

– Alors à quoi servent concrètement leurs recherches ?

– À vivre, tout simplement, à vivre ! Les idées ne sont pas un domaine à part, une sorte de jardin qui serait à côté de l'existence. Pas du tout ! En réalité, les idées commandent les actions, les façons de vivre, les comportements.

– Tu ne vas pas me faire croire, quand même, que les êtres humains ont besoin de philosophie pour vivre. Il y a des tas de gens qui vivent sans avoir la moindre idée de ce que pensent les philosophes. Et ça ne les empêche pas de vivre !

– Une seconde !... Si tu veux dire que l'on peut manger, dormir, grandir sans chercher la vérité dans des idées, évidemment tu as raison. On ne peut pas vivre sans boire, sans se nourrir, sans dormir, mais on peut parfaitement maintenir son organisme en vie sans vraiment réfléchir. La question n'est pas là. Elle est de savoir comment vivre *mieux*. De façon plus humaine, plus intelligente, plus intense. Et, là, tu ne peux pas échapper à un travail sur les idées.

Je dis un travail *sur* les idées, parce que des idées, on en a toujours. Elles sont là avant la philosophie. Ce n'est pas elle qui les crée. La philosophie va plutôt les tester, les mettre à l'épreuve, les examiner, pour voir celles qui sont vraies et celles qui sont fausses.

– Je ne vois pas ce que ça a d'indispensable pour vivre !

– Alors écoute cette histoire. C'est une très vieille histoire que racontait autrefois un philosophe nommé Socrate. Des enfants veulent choisir ce qu'ils vont manger. S'ils vont voir le pâtissier ou le confiseur, ils vont avoir l'idée que ce qui est bon pour eux ce sont les gâteaux et les bonbons. Pourtant, ces sucreries risquent en réalité de leur abîmer les dents, de les faire grossir et même, un jour, de les rendre obèses. Ces enfants pourraient tomber malades à cause de l'idée fausse qu'ils se font du « bon » : ils confondent ce qui est bon au goût, agréable à manger, avec ce qui est bon pour leur santé.

S'ils vont voir au contraire le médecin, il leur dira la vérité : « ce qui est bon pour vous, pour votre santé, pour votre équilibre, c'est une alimentation variée, du lait, des fruits, du poisson, des légumes et… très peu (ou pas du tout) de gâteaux, et très peu (ou pas du tout) de bonbons ». Que penseront du médecin ces enfants ?

– Ils vont penser qu'il se trompe, et qu'eux savent mieux que lui ce qui est bon pour eux…

– Oui, ils diront même que cet homme-là est méchant, qu'il leur veut du mal, qu'il cherche à les empêcher d'être heureux. Ou bien qu'il ne comprend rien à ce qui est bon pour eux. Ou encore qu'il se trompe et ignore tout de la vérité.

Alors, de deux choses l'une. Ou bien les enfants restent dans l'illusion, évidemment agréable, que le meilleur pour eux est de vivre de bonbons et de gâteaux, et cette idée peut les rendre malades d'indigestion. Ou bien ils découvrent que le médecin dit vrai, même si cette vérité leur déplaît, et ce changement d'idée va les aider à être en bonne santé.

Voilà… les idées, ça peut rendre malade, ou bien portant ! Est-ce que tu comprends à présent que c'est important pour vivre ?

– Je suis sûre que tu as inventé une histoire sur mesure… pour que ça colle avec ton argument.

– Je n'ai rien inventé. L'histoire des enfants qui préfèrent le pâtissier au médecin, je le répète, c'est Socrate, un des premiers philosophes, qui la racontait à Athènes, il y a… 2500 ans ! Tu crois que cet exemple n'est qu'un cas particulier, et tu n'es pas encore convaincue que les idées sont toujours importantes pour la vie. Alors, voyons la situation sous un autre angle. Est-ce que l'idée qu'on se fait de la justice a une importance pour la façon dont on vit ?

– Oui, bien sûr !

– Et les idées qu'on se fait de la liberté, ou de la mort, ou de l'égalité, ou du bonheur, par exemple, est-ce qu'elles jouent un rôle dans l'existence ?

– Bon, d'accord, je comprends. Il y a des idées qui commandent notre existence...

– Alors, tu vois qu'il est très important pour notre vie de savoir quelles sont les idées vraies et quelles sont les fausses. Imagine quelqu'un qui a une idée fausse du bonheur, ou de la liberté. Il veut être heureux et libre, mais il va se tromper de chemin, s'égarer et faire sans doute beaucoup d'efforts... pour rien ! Il croira que son idée est la bonne, mais si elle est fausse il y a toutes les chances qu'il échoue, et que sa vie soit ratée.

– Mais si c'est une idée fausse, pourquoi croit-il qu'elle est vraie ?

– Bonne question ! La réponse est toute simple, en fait : on croit vraie une idée fausse tant qu'on ne l'a pas examinée, regardée de près. Et cela nous arrive tout le temps. C'est même la situation la plus courante et la plus banale qui soit. Je crois que quelque chose est vrai parce que je l'ai toujours entendu dire. Je l'ai appris déjà tout petit, et tout le monde me l'a répété. Presque toutes les idées que nous avons en tête nous viennent du dehors. Elles sont entrées dans notre esprit sans que nous sachions réellement de quelle façon. Elles proviennent de notre famille, de notre entourage, de nos amis. Ce n'est généralement pas nous qui les avons fabriquées, nos idées ! Pas plus que nous n'avons inventé les mots avec lesquels nous parlons.

Le plus souvent, ces idées se sont installées en nous, elles sont devenues « nos » idées, sans que nous les ayons véritablement choisies. Nous avons rarement dit « oui » ou « non ». Nous n'avons pas réellement cherché à savoir si elles sont vraies ou fausses.

– *On pourrait donc avoir dans la tête des tas d'idées fausses, sans le savoir ?*

– Bien sûr ! Et même pire que ça : des tas de trucs faux qu'on est convaincu de juger vrais avec raison !

– *C'est quoi la solution ? On guérit comment ?*

– Eh bien… on ne guérit pas, mais on fait de la philosophie ! C'est sans doute la seule façon d'obtenir le résultat dont nous parlons : tester nos idées, les mettre à l'épreuve pour les trier.

Tu remarqueras, au passage, que nous avons obtenu un nouveau résultat : la philosophie est aussi une activité **critique**. Elle ne se contente pas de chercher la vérité dans le domaine des idées. Pour atteindre cet objectif, elle s'efforce aussi de chasser les idées fausses. Elle cherche à les détecter pour les empêcher de nuire.

On peut le dire encore autrement : des idées, nous en avons tous. Nous avons tous nos opinions, nos croyances, nos convictions. Elles peuvent concerner la politique, la religion, la morale, la justice, l'art… Cet ensemble d'opinions et de croyances que possède chacun d'entre nous n'est pas vraiment de la philosophie. La philosophie commence, comme activité réfléchie, quand on se demande : « dans toutes ces pensées que j'ai en tête, lesquelles sont vraies ? Je veux savoir, je vais tenter de les examiner ! » Faire de la philosophie, ce n'est pas simplement penser, avoir des idées. C'est commencer à observer ses propres idées, un peu comme si on les regardait du dehors, comme si on voulait faire le ménage dans sa tête.

C'est donc une activité particulière. Encore une fois, elle ne consiste pas seulement dans le fait de penser. On peut penser de tas de façons différentes. Penser à ce qu'on fera demain, ou à ce qu'on a fait hier, penser à ses amis ou à ses vacances, penser à ses études, à son travail… Toutes ces pensées ne sont pas de la philosophie !

– Finalement, la philosophie, ce sont des pensées spéciales…

– Tout à fait exact ! J'ajoute qu'elles ne sont pas spéciales à cause de leur contenu, mais à cause de leur style.

– Tu veux dire quoi ?

– En fait, ce qui rend ces pensées « spéciales », ce ne sont pas les sujets sur lesquels elles portent (par exemple, la liberté, la justice, la mort, Dieu, etc.). Je peux avoir, sur tous ces sujets-là, des pensées qui ne seront pas forcément de la philosophie. Ce que j'appelle le style des pensées philosophiques, leur « façon d'être » si tu préfères, c'est de s'examiner, de s'interroger pour savoir si elles sont vraies ou fausses, ou même, plus simplement, pour savoir de quoi elles parlent exactement. C'est ça qui les rend spéciales.

– *Tu peux donner un exemple ?*

– D'accord. Tu sais ce qu'est un nombre ?

– *Bien sûr. Je sais qu'il y a des nombres entiers, des nombres décimaux…*

– Oui, mais c'est quoi, un nombre ?

– *Eh bien… c'est un nombre !*

– Bravo ! Nous voilà bien avancés… Dis-moi donc de quoi il s'agit, puisque tu le sais si bien.

– *C'est un chiffre.*

– Ah non ! Les chiffres (de 0 à 9) servent à écrire les nombres, mais ce sont des réalités différentes : tu as dix chiffres, et une infinité de nombres… et tu peux écrire un même nombre, le trois, par exemple, en chiffre arabe (3) ou romain

(III). Donc, ce n'est pas pareil, nombre et chiffres. Alors, je recommence : un nombre, c'est quoi ?

– *C'est un outil pour compter.*

– Comme un boulier ? Comme une calculatrice ? Comme les doigts ?

– *C'est simple ! Un nombre, ça se voit dans la réalité. Là, il y a deux chaussures, ici trois bougies… En les regardant, je comprends ce que c'est. Et je dis « deux », « trois », etc.*

– Et comment peux-tu compter si tu n'as pas le nombre ? Réfléchis… Ce n'est pas parce que tu vois ces bougies que tu as l'idée du nombre trois. C'est parce que tu as déjà dans ta tête ce nombre que tu peux savoir qu'il y a là trois bougies et non pas quatre, ou cinq.

– *C'est vrai que c'est agaçant cette histoire… C'est vrai que je ne sais pas expliquer ce qu'est un nombre ! Mais, au fait, pourquoi tu m'as posé cette question ?*

– Pour te faire voir le style spécial des questions philosophiques. Le nombre, au premier coup d'œil, on croit que c'est du domaine des mathématiques seulement, et surtout on se dit, comme tu l'as fait, qu'on sait très bien de quoi il s'agit. Et puis, dès qu'on commence à chercher ce que c'est, on s'embrouille, on s'aperçoit qu'on ne sait pas. On croyait que c'était clair, on découvre que c'est flou et confus. On pensait savoir, on ne sait plus. Et c'est agaçant !

La façon d'interroger des philosophes provoque souvent ce genre d'agacement. Socrate fut le premier à devenir célèbre par l'habitude qu'il avait d'étonner les gens de cette manière-là. Il se promenait dans les rues d'Athènes, la cité grecque, au pied du Parthénon, il commençait à discuter avec les gens et il leur montrait qu'ils ne savent pas, en réalité, ce qu'ils croient savoir.

Par exemple, Socrate interroge un vieux militaire, un général qui s'est souvent battu et qui connaît la guerre. Ce soldat croit savoir ce qu'est le courage. Alors il explique de quoi il s'agit. Le courage, dit-il, c'est de ne pas avoir peur. Socrate lui demande simplement si celui qui a terriblement peur mais qui se bat quand même, en surmontant sa panique, n'est pas plus courageux, finalement, que celui qui ne ressent aucune peur. Le général est d'accord. Donc son idée du courage n'était pas la bonne. Comme tu peux imaginer, il est furieux, le militaire, qu'on lui fasse voir qu'il se trompe sur ce qu'il croit justement connaître le mieux !

Ce genre d'exemples, il y en a tant qu'on veut dans les dialogues de Platon, qui a écouté longtemps Socrate et a mis en scène, si l'on peut dire, sa manière de poser des questions agaçantes. Ainsi, Socrate demande de dire ce qu'est la beauté à un professeur un peu prétentieux, qui affirme savoir énormément de choses et se prétend capable de répondre à toutes sortes de questions. L'autre éclate de rire : voilà une question trop facile ! La réponse est un jeu d'enfant, il connaît tout ça par cœur, Socrate se moque du monde avec ses questions d'une facilité ridicule… La réponse est bien simple : un vase en or, dit-il, voilà ce qu'est la beauté.

Alors, Socrate doit lui expliquer que, visiblement, il n'a pas du tout compris sa question. Il n'a pas demandé qu'on lui donne un exemple de chose belle, mais qu'on lui dise ce que c'est « être beau », en quoi ça consiste, comment ça se définit. Pendant un bon moment, l'autre ne voit même pas de quoi il s'agit, ni de quelle manière il s'est trompé. Il continue à faire fausse route, en disant que la beauté c'est aussi un cheval de course, ou une jeune fille. Socrate l'interroge sur la beauté, c'est-à-dire sur ce qui permet de juger que tous ces exemples (un vase, un cheval, une jeune fille) ont en commun d'être appelés « beaux ». Autrement dit, ce qui intéresse Socrate, c'est…

– *C'est l'idée de beauté ?*

– Mais oui ! Et quand il comprend enfin que c'est là-dessus que porte la question, le prétentieux Monsieur-je-sais-tout est bien embarrassé ! Il se rend compte qu'il est incapable de définir la beauté. Il pensait savoir ce que c'est, comme tout le monde, voilà qu'il découvre qu'en fait il n'en sait rien. Comme toi, tout à l'heure, avec le nombre…

– Et il y a beaucoup de choses comme ça, qu'on croit savoir et qu'en fait on ne sait pas ?

– Des foules de choses ! Un célèbre philosophe nommé Augustin disait : « Quand on ne me demande pas ce qu'est le temps, je le sais. Quand on me le demande, je ne sais plus. » Réfléchis à cet exemple. Il y a des quantités d'idées qui sont dans ce cas. Comme le temps, on croit savoir de quoi il s'agit tant qu'on n'a pas à l'expliquer de manière claire et précise. Dès qu'on doit en parler avec exactitude, on se trouve dans l'**embarras**. La philosophie est l'activité qui consiste à tenter de sortir de cet embarras.

– On y arrive ?

– Oui, souvent. Heureusement que toutes les questions ne restent pas sans réponse ! Il y a aussi, dans la philosophie, des problèmes qui trouvent une solution. Pas toujours, évidemment, car il arrive que l'on tombe sur de nouvelles questions qui ne font qu'augmenter l'embarras. Mais ce n'est pas grave. Au contraire, c'est même plutôt bien…

– Si c'est embarrassant, ce n'est pas une bonne chose !

– En fait, si. Simplement, il faut commencer par s'entendre sur le sens du terme « embarrassant ». Dans la vie de tous les jours, on préfère ce qui n'embarrasse pas. On écarte les choses qui prennent trop de place (les emballages, les grosses valises), qui encombrent physiquement et qui gênent les mouvements. Même chose pour l'esprit : d'habitude, on cherche à chasser des soucis qui pourraient devenir paralysants, qui pourraient créer une gêne dans notre tête en prenant trop de place.

Ce n'est pas ce sens-là qui convient si l'on veut comprendre pourquoi les philosophes aiment bien, en fin de compte, les questions qui provoquent un embarras. L'embarras, ici, c'est ce qui étonne et fait avancer. Si je te demande ce qu'est un nombre, tu es d'abord embarrassée, au sens où tu découvres que tu ne sais pas quoi dire, alors que ça paraissait évident. L'homme à qui Socrate demande de définir le courage, ou la beauté, éprouve la même sensation. C'est encore le même trouble que ressent Augustin quand on lui demande ce qu'est le temps.

Je pense que la philosophie naît de cette forme de trouble, de cette sorte particulière de malaise. C'est son point de départ. C'est la même chose, en fait, que l'étonnement. On se dit : « Comment ? Je ne sais pas clairement ce qu'est un nombre ? (Ou le courage, ou la beauté.) Il va falloir que je cherche ! »

La philosophie commence toujours par cette découverte de notre **ignorance**. Nous ne savons pas répondre, alors que nous pensions avoir la réponse et être capable de la donner sans difficulté.

– C'est déstabilisant, cette sensation de ne plus savoir…

– Oui, ce n'est pas confortable. Il est beaucoup plus rassurant d'avoir des réponses toutes prêtes, toutes faites. Cette découverte de notre ignorance, chaque fois, provoque un choc. C'est d'abord déstabilisant, tu as raison. Un peu comme un tapis qui s'en va, on se retrouve en déséquilibre, sans point d'appui. De ce point de vue, la philosophie est toujours « inquiète » – au sens premier de ce terme, c'est-à-dire pas tranquille, pas au repos. On est toujours plus au calme avec des certitudes. Tu as raison de dire qu'il y a là un désagrément. C'est d'ailleurs pour cette raison qu'on n'aime pas trop les philosophes, dans certains cas : ils nous empêchent d'être endormis, ils nous réveillent. Et, à cause d'eux, il faut se mettre en route.

– Pour aller où ?

– Devine !

– Chercher la vérité ?

– Évidemment ! Et c'est un voyage qui peut être long, difficile, fatigant, et qui n'est jamais assuré de se terminer bien. Et pourtant, depuis qu'est apparue la philosophie dans l'histoire de l'humanité, il y a toujours eu des gens prêts à tout sacrifier pour se lancer dans cette aventure.

– Pourquoi font-ils ça ? Pourquoi cherchent-ils tous la vérité ?

– Pour la découvrir, tout bêtement ! Quelque chose chez les êtres humains leur fait désirer la vérité. Ne nous occupons pas de chercher d'où ça vient, ni comment ça marche. Ces questions nous entraîneraient trop loin. Mais il faut marquer l'importance de ce « quelque chose » qui fait chercher la vérité. On l'appelle aussi le désir de savoir. C'est bien la même chose : personne ne désire connaître quelque chose de faux. Quand on veut savoir, on veut savoir le vrai.

– Il n'y a pas que les philosophes ! Nous aussi, les jeunes, et les parents…

– Exact. Et qui d'autre ?

– Les scientifiques, par exemple, on l'a dit au début.

– Tu as tout à fait raison, mais, en fait, c'est pareil. Philosophes ou scientifiques, il n'y a pas grande différence.

– Comment ça ? Ce n'est tout de même pas la même chose !

– Aujourd'hui, c'est devenu très différent, effectivement. Et le travail des biologistes, des chimistes ou des géologues te paraît, à juste titre, très éloigné de celui des philosophes. Mais cette séparation est relativement récente. Pendant des siècles, les philosophes faisaient des sciences, des mathématiques, de la physique en même temps qu'ils réfléchissaient sur des questions de morale ou de politique.

Il y a un seul désir de savoir, de tout savoir, en tout cas de savoir tout ce qu'il est possible de comprendre et de connaître. Et dans tous les domaines. C'est pourquoi les philosophes de l'Antiquité, du Moyen Âge ou même encore ceux de l'Âge classique cherchaient à savoir la vérité aussi bien à propos du mécanisme des marées que du meilleur gouvernement. Cela ne les empêchait pas de s'interroger dans le même temps sur ce qu'est le bien, la justice, le bonheur ou l'amitié. Ils pouvaient s'occuper de comprendre à la fois comment est constituée l'âme humaine et comment se fait la digestion chez les poissons…

En fait, le rêve de la philosophie était de parvenir à tout connaître, de pouvoir embrasser la totalité des savoirs. Il y avait derrière ce rêve l'idée que la vérité n'est pas découpée en une multitude de secteurs indépendants les uns des autres : ici la biologie, là-bas la politique, ailleurs la morale.

– *Mais comment toutes ces recherches pouvaient-elles se mettre ensemble ?*

– Pour nous, aujourd'hui, ce n'est pas facile à comprendre. Nous avons du mal à imaginer comment était la situation avant la séparation des savoirs en plusieurs domaines très distincts. Pourtant, cette conception d'une unité de la connaissance a duré très longtemps, et elle était très puissante. Elle a profondément marqué l'histoire et le projet même de la philosophie. C'est pour cela qu'il n'est pas inutile d'insister encore deux minutes, si tu veux bien, sur…

– *D'accord, mais pas trop long, je commence à fatiguer…*

– Un seul mot : *sophos*. C'est du grec, et ça veut dire deux choses à la fois : « savant », et « sage ». Pour les Grecs de l'Antiquité, les deux sens ne se distinguent pas : être savant, c'est aussi savoir se conduire bien dans la vie. Être sage, c'est forcément avoir acquis des connaissances.

Il y a un personnage qui est impossible dans cette vision des choses : le « savant fou », celui qui possède une science considérable mais qui a l'ambition de posséder le pouvoir suprême.

– *« Ah ! ah ! ah !… je vais appuyer sur ce bouton et je serai le maître du monde… ah ! ah ! ah ! »…*

– Exactement. Ce personnage est impensable pour un Grec de l'Antiquité. Si cet homme est un savant, il sera assez sage pour ne pas rêver de devenir maître du monde. Et s'il veut dominer le monde, c'est qu'il n'est pas un vrai scientifique. Les Grecs pensaient profondément que la connaissance de ce qui est vrai contient la connaissance de ce qui est bien. Savoir, ce n'était pas seulement s'instruire, c'était aussi se transformer, s'améliorer.

– *Quel rapport avec nous ?*

– Au moins celui-ci : l'adjectif « *sophos* », « sage-savant », tu le retrouves dans « *philosophos* », philosophe. « *Philô* », toujours en grec ancien, c'est aimer d'amitié, être l'ami de, désirer. Le philosophe, c'est celui qui désire devenir « *sophos* », c'est l'ami de « *sophia* », c'est-à-dire la connaissance-sagesse.

On verra comment cette signification double, deux en une (savoir et sagesse sont exprimés par un seul mot, « *sophia* »), va se diviser et se séparer au cours de l'histoire. Certains vont considérer la philosophie comme un amour de la sagesse, d'autres comme recherche du savoir. Mais arrêtons-nous là pour l'instant. Nous voilà déjà pas mal avancés pour un début. Repose-toi bien !

2

Être sage ou être savant

– Tu as parlé de Socrate et des Grecs de l'Antiquité. On dirait que c'est une référence, quand on parle de philosophie. Pourquoi ?

– Plusieurs réponses, si tu veux bien. D'abord, les Grecs nous ont laissé de très grandes œuvres philosophiques. Tu as peut-être déjà entendu les noms de Platon, d'Aristote, qui sont d'immenses génies. Ces œuvres, qui occupent chacune une grande étagère de bibliothèque, ont été des modèles pour les philosophes de l'Europe. Ils ont aussi été étudiés et commentés par les philosophes arabes et par les philosophes juifs, en particulier au Moyen Âge. À travers les siècles, on n'a pas cessé de les lire. Les textes des Grecs – ceux de Platon et d'Aristote, mais aussi de plusieurs autres grands philosophes de l'Antiquité, ont été étudiés encore différemment à la Renaissance, et ainsi de suite jusqu'à nos jours. Bien sûr, on les a compris de manière différente selon les époques, mais on n'a jamais cessé de les lire et de les discuter.

Ces philosophes ont donc exercé une influence considérable sur la pensée.

– *Mais pourquoi ? Qu'est-ce qu'ils ont de spécial ? Quelles étaient leurs idées ?*

– On pourrait dire qu'ils ont inventé les règles du jeu. La façon de poser des questions propre à la philosophie, c'est à eux qu'on la doit. Ils n'ont pas prévu toutes les parties que l'on peut jouer, mais ils ont inventé les règles. De ce point de vue, on peut dire que faire de la philosophie, c'est jouer à un jeu grec. Ce que nous avons vu, la volonté de chercher des idées vraies, la manière de surveiller les façons de parler, ce sont les Grecs de l'Antiquité qui ont commencé à le pratiquer.

– *Et ça leur est venu comment ?*

– Ça, c'est une question très difficile. En fait, personne n'a de réponse certaine. Il semble bien qu'il se soit passé en Grèce, vers le VIe siècle avant notre ère, une sorte de crise dans les croyances. On s'est mis à ne plus faire confiance aux traditions, à moins croire aux légendes. À la place, on a commencé à vouloir comprendre. On a cherché à raisonner, à se servir de sa tête pour trouver comment est organisé le monde. Ou sur quelles règles il faut guider sa vie, ou bien sur quelles lois on peut établir la justice. On a donc entamé une mise en doute de ce que disaient les sages…

– Les philosophes ne sont pas des sages ?

– Non, pas vraiment. Ou plutôt pas entièrement. C'est Pythagore, dit-on, qui aurait inventé le mot « philosophe », et justement pour exprimer cette différence. Les **sages** sont… sages ! Ils possèdent la sagesse. Les philosophes, eux, la cherchent. Ils ne détiennent pas la sagesse, ils s'efforcent de la trouver. Ils la désirent et font de leur mieux pour la discerner. Ce qu'ils cherchent à établir, par la réflexion et le raisonnement, c'est le bon objectif, la bonne méthode. La sagesse n'est plus un trésor caché mais quelque chose à construire, à démontrer. Ce n'est plus une affaire de mythes et de croyances, mais une tâche logique et rationnelle.

– Et les Grecs ont été les seuls à faire ce changement ?

– Voilà encore une question très difficile, et qui engendre de nombreuses discussions. Beaucoup de gens ont affirmé, autrefois, que les Grecs ont été les seuls à pratiquer la philosophie. Inventeurs du mot, ils auraient été aussi les inventeurs de la chose. Les Grecs seraient donc uniques. Ils seraient tellement exceptionnels qu'on a parlé d'un « miracle grec » !

Cette croyance a été très forte. Elle est encore partagée par certaines personnes. Pour ma part, je suis arrivé à la conclusion que ce n'est pas une idée vraie. À mon avis, il y a de la philosophie et des philosophes dans d'autres cultures, en Inde, en Chine, et aussi dans la culture des Juifs, et dans la culture des Arabes. Les Grecs sont admirables, mais ils ne sont pas uniques.

Pour s'en rendre compte, il suffit de penser à ce moment très étonnant de l'histoire humaine : le VIe siècle avant notre ère. En Grèce, on vient d'en parler, c'est Pythagore, Thalès et d'autres. Avec eux naissent la philosophie et de la **science**, l'exigence rationnelle, la démonstration logique.

En Inde, à la même époque, et sans aucun contact entre les cultures, c'est l'apparition d'un extraordinaire mouvement de réflexion sur la place de l'homme et sur la nature des choses, sur le destin, et sur les moyens de parvenir à la sérénité. Un peu plus tard va apparaître en Inde, avec la pensée du Bouddha, un style de réflexion qui ressemble étroitement à la philosophie par de nombreux traits.

En Chine, toujours à la même époque, et toujours sans communication entre ces différents bouleversements, c'est aussi l'éclosion d'une forme de pensée nouvelle qui marque cette période du VIe siècle avant notre ère. Avec un grand penseur qui se nomme Lao-Tseu, et qui a écrit le *Tao Te King* (*Le Livre de la Voie et de la Vertu*) commence une longue école de pensée qui combine elle aussi l'analyse intellectuelle et la recherche de sagesse. Le plus curieux, c'est qu'on lit encore ce livre aujourd'hui, comme on lit les paroles du Bouddha et comme on étudie encore les premiers Grecs.

– Comment se fait-il que ces pensées très anciennes soient encore d'actualité ?

– Sans doute parce qu'elles n'ont rien à voir avec aucune sorte d'actualité immédiate. Leur réflexion porte sur notre attitude dans l'existence. Elles se préoccupent de notre rapport au désir, à la mort, à nous-mêmes, aux autres. Dans ces questions vitales, le type de société où l'on se situe intervient certainement, mais pas de manière forte. En fin de compte, entre ces penseurs qui ont vécu il y a très longtemps, et nous qui vivons dans un monde très différent du leur, les points communs l'emportent sur les différences. La société des Grecs de l'Antiquité n'a rien à voir avec la nôtre. Pourtant, nous sommes toujours concernés par les pensées de ces philosophes qui demeurent proches, même s'ils sont très loin dans le temps.

On peut en dire autant de l'Inde ancienne, de la Chine traditionnelle, de la Jérusalem biblique ou des grands centres de la pensée arabe. Pratiquement tout ce qui entourait les textes a disparu. Les maisons, les gens, leurs façons de s'habiller, de manger, de se déplacer, les objets de la vie quotidienne… tout cela s'est évanoui. Et nous sommes dans un univers qui, sous tous ces aspects, est totalement différent. Malgré tout, ces pensées anciennes peuvent continuer à nous parler, nous sommes toujours capables de les comprendre, et de les discuter.

– De toute façon, les auteurs ne sont plus là pour répondre !...

– Évidemment, mais au fil des siècles, on n'a jamais cessé de discuter avec eux. Les philosophes se répondent d'une époque à une autre. Au moyen de leurs livres, ils dialoguent à travers le temps. C'est une situation très particulière. Dans les sciences, plus personne ne s'occupe des conceptions anciennes. En physique, en biologie et dans bien d'autres secteurs, l'évolution des connaissances remplace les idées anciennes par de nouveaux progrès. Des historiens peuvent étudier les connaissances d'autrefois, pour les reconstituer. Mais les scientifiques ne s'intéressent pas à des théories qui ont des siècles. Par rapport à la science actuelle, elles sont dépassées.

Au contraire, en philosophie, il n'y a pas vraiment de progrès. En tout cas, pas dans le même sens. Il y a des perspectives qui changent, des vues nouvelles qui apparaissent, mais elles ne chassent pas forcément les anciennes. Le rapport avec le passé est très différent de celui qui existe dans les sciences. Il ressemble plutôt à ce qui se passe dans la littérature (on lit toujours Homère et les aventures d'Ulysse dans *L'Odyssée*) ou dans les arts (on contemple encore de très vieilles statues, ou des fresques murales qui ont des siècles). Avec quand même une différence : en philosophie, on ne se contente pas d'admirer les idées, mais on les reprend, on les discute, on les combat, on les modifie...

– Quand même, il s'est forcément passé des choses depuis l'Antiquité ! Tu m'as parlé seulement de ce qui a commencé je ne sais pas combien de siècles avant Jésus-Christ.

– Cinq siècles environ. Bien sûr, des tas de philosophes ont existé à toutes les époques, et encore aujourd'hui. L'Antiquité est très importante, parce qu'on n'a jamais fini, je le répète, d'y revenir. Mais on peut en sortir. Allons-y. Essayons de parcourir les principales étapes de la longue histoire de la philosophie. Pas question, évidemment, de tout raconter. Tu imagines ? Vingt-cinq siècles, des centaines et des centaines de philosophes, des milliers de livres… Nous y serions encore dans très longtemps, et ce serait épuisant. Alors, pour une première approche, je te propose une division très simple. Je vais séparer toute l'histoire de la philosophie occidentale en deux parties seulement. Dans la première, on veut devenir sage. En gros, il s'agit de l'Antiquité. Dans la seconde partie, on veut être savant. Ce sont, toujours en gros, les Temps modernes.

– Ça consiste en quoi, devenir sage ?

– Le plus simple serait de dire que le sage est celui qui a trouvé les idées vraies capables de guider sa vie et qui a réussi à les faire entrer totalement dans son existence.

Premier point à souligner : la recherche de la **sagesse** est une transformation de soi-même. C'est un point très important pour comprendre les philosophes de l'Antiquité. Ils veulent parvenir à se changer. Ils inventent des exercices pour y arriver. Ils s'entraînent. Devenir philosophe, dans cette perspective, ce n'est pas être professeur. Ce n'est pas faire des cours, ou écrire des livres. C'est changer de vie, adopter une attitude différente dans l'existence.

– Ces philosophes-là ne faisaient pas de livres ?

– Pas tous. Et ceux qui faisaient des livres le faisaient comme des moyens de mieux comprendre comment avancer vers la sagesse. Ou comme des exercices pour s'entraîner à devenir sages.

– Et pourquoi ils veulent être sages ?

– Pour être heureux, tout simplement ! Et de façon définitive. Le sage s'est transformé de telle façon qu'il échappe au malheur, à l'angoisse, à l'inquiétude, aux déceptions, aux jalousies, aux attentes, aux regrets de toutes sortes. Il est toujours serein, sans trouble. Il est même capable de quitter la vie d'un moment à l'autre, sans affolement, comme on quitte la table…

– Aucun homme ne peut être comme ça !

– Les philosophes d'autrefois savaient aussi que ça n'existe pas. Il leur arrivait de dire qu'aucun être humain, sans doute, n'était jamais devenu sage. Ce personnage du sage était un idéal. C'était un horizon. Peut-être n'allait-on pas l'atteindre, mais on pouvait faire effort pour s'en approcher. On se dirigeait dans cette direction.

– *Comment ?*

– Les façons de vivre, et surtout les conceptions, étaient différentes selon les écoles. Pour certains, c'était l'étude de la vie intellectuelle, l'exercice de la compréhension qui donnait accès au bonheur. Platon, par exemple, affirme que notre âme est comme parente des idées vraies. La part intellectuelle de notre esprit serait faite pour contempler la vérité. Ce serait là le bonheur suprême de l'être humain, ce qu'il peut faire de mieux de sa vie. On trouve chez Aristote, qui a été l'élève de Platon avant de s'opposer à lui sur beaucoup de points, une conception assez proche : l'être humain est fait pour connaître. Il désire savoir, et la connaissance est ce qui peut lui procurer le plus grand bonheur.

– *C'est pas très drôle, comme façon de vivre !*

– Je comprends que tu puisses le penser… L'important à retenir, malgré tout, ce n'est pas tellement la réponse de Platon, ou celle d'Aristote, ou d'autres. L'essentiel, c'est la question qui les occupe tous, même s'ils répondent différemment : comment l'être humain doit-il vivre pour vivre le mieux possible, pour atteindre ce qui est le plus conforme à sa nature, pour réaliser le plus pleinement les capacités propres à la condition humaine ?

Comme tu vois, c'est la même question que celle du bonheur. En effet, une vie humaine réussie, excellente, capable de réaliser ce qu'un homme peut faire de mieux, c'est forcément une vie heureuse.

– *Et les autres réponses, c'est quoi ?*

– Le plaisir, par exemple.

– *Ça, c'est mieux !*

– Oui, par exemple le plaisir de l'étude, le plaisir de l'intelligence, de la découverte, de la compréhension… Les philosophies du **plaisir** ne l'ont pas ignoré. Mais la source principale du plaisir qui rend heureux, c'est le corps, la sexualité, la nourriture. Pour Épicure, l'homme peut atteindre le bonheur s'il se débarrasse, par la philosophie, de ce qui le perturbe et le trouble inutilement. Cette philosophie se présente comme un traitement médical, une série de remèdes pour soigner notre mal de vivre. La plupart des écoles philosophiques de l'Antiquité, dans leur voyage vers la sagesse, préconisent une sorte de « médicament » philosophique.

Dans l'école **épicurienne**, il s'agit d'un remède à quatre composantes. Un : ne pas craindre les dieux. Deux : ne plus craindre la mort. Trois : réguler ses désirs, c'est-à-dire, par exemple, ne rien désirer d'inutile ou d'inaccessible. Quatre : endurer la douleur. Si l'on parvient à intégrer ces quatre points dans l'existence quotidienne, on mène une vie en paix, dit Épicure. Une vie sans trouble et sans malheur. Une existence heureuse, à condition, bien sûr, d'admettre que ce sont le calme et la détente qui nous rendent heureux…

– Tu n'y crois pas ?

– En tout cas, il existe d'autres perspectives possibles. On trouve par exemple des philosophes qui se sont opposés à ce plaisir calme et reposé des épicuriens. Des gens qui ont soutenu la supériorité du plaisir « en mouvement ».

– Ça veut dire quoi ? C'est le plaisir du corps ?

– Deux conceptions du plaisir s'opposent. En repos : le plaisir, c'est n'avoir mal nulle part. Ni faim ni soif ni sommeil ni fatigue : le bien-être sans douleur, la joie d'exister. En mouvement : le plaisir, c'est éprouver des sensations agréables et vives. Manger, boire, faire l'amour, danser, dormir… Pour éprouver ces jouissances, il faut accepter aussi d'avoir faim et soif, de ressentir la tension du désir. Si tu mets le plaisir au poste de commande, si je puis dire, il faut savoir si c'est un plaisir calme, une absence de souffrance, ou bien un plaisir fait de tensions et de jouissances. C'est un point de discussion.

D'autres philosophes, dans l'Antiquité, mettent aux commandes la volonté, et la sérénité de l'âme. Ils soutiennent que personne ne peut rien contre notre âme. Elle est comme une forteresse où nous sommes libres, même si notre corps est prisonnier, ou malade. C'est le philosophe adepte d'une école qu'on nomme le **stoïcisme** qui parle ainsi. Il pense qu'il est possible d'être heureux même si l'on subit les souffrances du corps, la misère, la dictature. Parce qu'une seule chose au monde dépend de nous, et de nous seuls : notre volonté. Parmi les écoles philosophiques de l'Antiquité, il faut encore dire un mot des cyniques et des sceptiques. Les **cyniques** pensent que la voie la plus directe pour atteindre le bonheur est de vivre selon la nature. Alors ils se mettent à vivre comme des chiens (c'est ce que veut dire « cyniques », qui vient du mot « *kunos* », le chien, en grec). Ces philosophes refusent le confort, la politesse, toutes les règles sociales. Ils couchent par terre dans les rues et mendient leur nourriture.

– C'est dur mais au moins on est libre !

– Quant aux **sceptiques**, ils sont convaincus que nous ne sommes encore jamais parvenus à atteindre une vérité. Ils conseillent donc de suspendre le jugement, c'est-à-dire de ne jamais dire « oui » ni « non », de ne jamais se croire certain qu'une chose est bonne ou mauvaise, qu'une idée est vraie ou fausse. Ce doute général, à leurs yeux, est la voie de la sagesse et du bonheur.

Il y aurait mille autres explications à donner. On peut écrire des livres et des livres sur ces chercheurs de sagesse et leurs manières de vivre. Ce n'est pas notre but ! Je voulais seulement te faire apercevoir la richesse et la diversité de ces écoles. Elles ont été actives plusieurs siècles, en Grèce, à Rome, et tout autour de la Méditerranée. Et puis tout a changé.

– À cause de quoi ?

– Du christianisme. Au cours des trois premiers siècles de notre ère, la religion chrétienne s'est répandue de plus en plus dans tout l'Empire romain. Et, comme tu le sais sans doute, elle finira par devenir la religion officielle de l'Empire, en 323, avec l'édit de Constantin.

C'est un changement de mentalité colossal qui se produit à cette période. Parmi les conséquences de ce bouleversement, une nous intéresse. L'idéal du sage va bientôt passer dans l'ombre, et tout le travail pour mener une vie philosophique aussi.

– Je ne vois pas la raison. Ça aurait pu continuer…

– Oh, ça ne s'est pas fait du jour au lendemain. L'idéal du sage n'a d'ailleurs jamais été totalement balayé. Mais la religion chrétienne a imposé un paysage mental tout à fait différent. Au lieu du sage, l'idéal, désormais, c'est le **saint**. Le saint ne se définit pas seulement dans l'horizon humain. Il obéit à Dieu, il se soumet entièrement à la volonté divine, à la parole divine. Cela n'a rien à voir avec la démarche des philosophes. Et, surtout, le saint n'est pas préoccupé par le bonheur terrestre. Il peut tout sacrifier, il peut être martyr. Car ce qu'il veut n'est pas le bonheur, c'est le salut. Il veut être « sauvé », définitivement, dans le royaume de Dieu.

Évidemment, ce salut est bien, en un sens, la forme suprême du bonheur, puisque c'est un bonheur éternel et absolu dans la contemplation de Dieu. Mais ce bonheur dans l'au-delà, dans le Paradis, n'est pas du tout ce que cherchaient les philosophes dans l'étude et la réflexion, ou dans le plaisir, ou dans la vie selon la nature. Avec la religion chrétienne, on passe d'un horizon humain à un horizon divin. Les philosophes, chercheurs de sagesse, passent au second plan, ils disparaissent en coulisse.

– Qu'est-ce qu'ils deviennent ?

– Des auteurs respectés, de grands ancêtres. On continue de les étudier au Moyen Âge, mais le sens de leur pensée est souvent modifié. On interprète différemment ce qu'ils disent. La philosophie ne disparaît pas. Elle connaît une sorte d'éclipse. Et surtout, elle se transforme. Elle devient « servante », a-t-on dit, pour faire comprendre que, désormais, la religion commande. La philosophie, au Moyen Âge, n'a pas son indépendance. Elle ne définit plus ses propres objectifs. C'est la religion qui dirige les pensées et les actes.

La philosophie va lui fournir des outils, des règles de démonstration, et parfois des matériaux, des idées ou des concepts.

– La philosophie n'a donc pas été libre, mais pendant combien de temps ?

– Encore quelques siècles… Jusqu'à ce que la réflexion commence à retrouver une forme d'indépendance vis-à-vis de la croyance religieuse. Mais, quand cela se produit (en gros, à partir de la Renaissance), la philosophie devient différente de ce qu'elle était dans l'Antiquité. Le sage, comme figure idéale, s'est pratiquement effacé. Ce qui va dominer, désormais, c'est l'idéal du savant. Le philosophe cherche à savoir. Ce qui l'intéresse, ce n'est plus le bonheur, c'est la vérité seule. Son rêve n'est plus la sagesse, c'est devenu la science. Il ne s'agit plus de transformer son existence mais de constituer un système d'idées. La philosophie passe presque entièrement du côté de la théorie. Elle devient presque uniquement affaire de **raison**, de logique, de démonstrations. C'était déjà le cas autrefois. Mais maintenant cet aspect occupe la place centrale, ou même toute la place.

Bien sûr, dans le détail, c'est plus compliqué, il y a une foule de cas particuliers. Tu verras sans doute un jour que ces indications doivent être discutées. Mais dans l'ensemble, ce n'est pas faux. Ce qui domine la philosophie moderne (disons les quatre derniers siècles, en Europe), c'est le projet de construire un **système** d'idées vraies.

– En quoi ça consiste ?

– Imagine une machine intelligente qui serait capable de tout expliquer. Par exemple : pourquoi le monde existe, ce que nous devons faire de nos émotions, comment se forment les sociétés, la manière dont fonctionne notre corps, en quoi consiste la liberté, la justice, la morale… Quelle que soit la question, il devrait exister une réponse logique, cohérente et argumentée et, bien sûr, compatible avec les autres réponses du même système. Un système philosophique, c'est à peu près ça : une tentative de compréhension totale du monde, sous tous ses aspects, physiques, psychologiques, moraux, politiques, etc.

– C'est fou ! Les philosophes deviendraient comme des dieux, avec un savoir infini.

– En un sens, oui. En même temps, c'est la plus haute ambition de la raison : parvenir à comprendre la totalité du monde. Évidemment, pas question d'additionner une immense série de petites connaissances de détails. Le but est de saisir selon quels principes s'organise la totalité du monde.

– Mais c'est impossible, on ne pourra jamais y arriver…

– Pourtant les grands systèmes philosophiques prétendent y parvenir. À partir d'un petit nombre de points de départ, une dizaine environ, ils affirment être en mesure d'expliquer la totalité de ce qui se produit dans le monde.

– *Tu peux donner un exemple ?*

– Dans un ordinateur, tu peux mettre en mémoire, par exemple, des milliers de dates d'événements historiques. Et si tu tapes ensuite « 14 juillet 1789 », tu obtiendras « Prise de la Bastille ». Ça, ça ne fait pas un système. C'est juste une collection d'éléments mis côte à côte.

Mais si ton ordinateur contient un programme de calcul, par exemple, la situation est très différente. Si tu demandes : « 4132 × 326 = ? », la machine ne va pas chercher dans sa mémoire le résultat déjà enregistré. Elle « fait » l'opération.

Eh bien, un système philosophique ressemble à cette fonction de calcul. Il est capable de produire des réponses à partir de principes et de règles, comme la calculatrice donne le résultat de la multiplication à partir des règles de l'arithmétique. C'est plus clair comme ça ?

– *Oui... je vois ce que tu veux dire, mais ça paraît quand même irréalisable !*

– Quoi donc ?

– *De faire entrer le monde entier dans un système...*

– C'est effectivement le signe d'une sorte de délire des grandeurs. Il suppose que le monde puisse être totalement connu par la pensée.

– Il en existe vraiment, des systèmes comme ça ?

– Oui, plusieurs. Ça ne veut pas dire qu'ils ont atteint leur but, mais ils ont essayé. Et il en reste d'extraordinaires mécanismes de pensée. Par exemple, celui de Descartes, ou celui de Spinoza, ou celui de Leibniz. Nous n'allons pas entrer dans ces univers. Chacun de ces systèmes est en effet comme un monde à lui tout seul. Ce que je veux souligner, c'est qu'on est loin, avec ces philosophies, des écoles de l'Antiquité. Le but principal de la philosophie est devenu la compréhension du monde. Il ne s'agit plus de chercher à devenir sage en transformant son existence. Le but ultime est de parvenir à saisir la réalité par la pensée, de manière logique et rationnelle.

Le dernier des auteurs de grands systèmes, Hegel, un philosophe allemand du XIXe siècle, a cette formule : « Tout ce qui est réel est rationnel, tout ce qui est rationnel est réel. »

– Tu traduis ?

– Tout ce qui a une forme d'existence dans le monde peut être compris par notre esprit, et tout ce qui peut être compris par notre esprit a une forme d'existence dans le monde. Voilà, à peu près, ce que ça peut vouloir dire. En d'autres termes, le monde et l'esprit se correspondent parfaitement. À la limite, ils peuvent coïncider. Hegel appelle ça le « savoir absolu ».

– *Ça, ça mérite une pause !*

– D'accord…

3

Suivre le chemin des mots

– Reprenons : nous nous sommes dit que la philosophie est une activité concernant les idées et la recherche de la vérité. Nous avons vu que ces idées peuvent modifier notre existence. Enfin, nous nous sommes aperçus que tout commence, dans la réflexion philosophique, par un étonnement, qui crée d'abord une sorte de déstabilisation. Ce choc déclenche la recherche du vrai. Et ce chemin vers la connaissance concerne aussi bien le monde physique et matériel que les valeurs morales, avant que ne se séparent sciences et sagesses. Ce résumé te convient ?

– Oui, il me semble que c'est bien cela.

– Peut-être faut-il encore ajouter que la philosophie cherche à savoir si nous avons de vraies idées (et pas des fantômes d'idées, des illusions) et si ces idées sont vraies.

– Mais quelle différence entre « vraie idée » et

« idée vraie » ? Je ne suis pas sûre de la voir clairement.

– Une vraie idée, c'est une idée que l'on va pouvoir expliquer, une idée qui tient le coup et se révèle solide à l'examen de la réflexion.

– Mais si cette idée tient le coup, elle doit être vraie !

– Bravo, tu viens de mettre le doigt sur un point très important. Pour beaucoup de philosophes, en effet, il n'y a pas de différence entre les deux : une vraie idée, c'est une idée vraie. Si elle est bien construite, elle correspond à une réalité. Tu as touché juste ! Mais, sur ce point, nous avons encore pas mal de choses à comprendre.

Car nous n'avons pas encore commencé à chercher ce que veut dire qu'une idée est « bien construite », « cohérente ». Nous ne savons pas non plus de quelle manière on « teste » des idées, comment on les examine pour savoir si elles sont vraies ou fausses. Pour le savoir, cherchons de quoi nous nous servons pour trouver ou pour transmettre des idées. Que dirais-tu ?

– Eh bien... On se sert des livres, des journaux, des conversations. Et encore du téléphone, et de l'ordinateur.

– Et, dans tous ces cas, quel est le point commun ? Réfléchis, c'est juste là, sous ton nez...

– *Des mots ?*

– Mais oui ! Bien sûr ! Des mots, toujours des mots. Nous avons accès aux idées par les mots et à travers leurs combinaisons. C'est pourquoi les philosophes sont toujours très attentifs à la façon dont ils s'expriment. Le rôle du **langage** est central, et c'est cela que je veux mettre en lumière à présent. Les philosophes du passé l'avaient déjà su, mais à notre époque cette question représente un point essentiel de la philosophie.

Repartons un peu en arrière. La philosophie n'est pas faite de gestes ou d'actes physiques, mais de paroles, de phrases, de livres. C'est donc une activité liée à des discours, des suites de mots organisés.

Il existe d'autres disciplines liées aux discours et aux paroles. Par exemple, la littérature et la poésie. Mais aussi l'histoire et la géographie. Ce que nous devons d'abord préciser, c'est ce qui distingue la philosophie parmi ces activités liées au langage. Quelle est son style, sa manière propre, sa façon d'être ?

Pour nous mettre sur la voie, on peut penser à ce que disait Ésope, un auteur de fables de l'Antiquité : « La langue est la meilleure et la pire des choses. »

– *Pourquoi ?*

– Eh bien, trouve !

– Parce que la langue peut faire le bien ou le mal !

– Oui, continue… Approfondis cette idée de double face : le bien et le mal, et puis ?

– Le vrai et le faux ?

– Exact. Les mots peuvent guider ou égarer, informer ou tromper. Ils peuvent mentir ou dévoiler la vérité. Le langage est comme un instrument à double tranchant.

La philosophie, qui cherche des idées vraies au moyen des mots, se trouve dans une curieuse situation. Vois-tu laquelle ?

– Elle se sert des mots, mais en même temps elle s'en méfie ?

– C'est bien ça. La philosophie va se battre contre les mots… avec des mots. Ce sont à la fois les seuls outils pour avancer dans la recherche des idées vraies, et la source de quantité d'idées fausses.

– Quelles idées fausses viennent des mots ?

– Toutes sortes d'illusions et de problèmes que les philosophes essaient de repérer et d'éviter. Prenons quelques exemples. Ils vont sans doute te paraître un peu curieux, mais je te demande encore un peu de patience.

Je te l'ai dit: les philosophes ne s'intéressent pas aux mots à la manière des poètes ou des romanciers. Ils ne cherchent pas à faire des phrases qui seraient belles, ou émouvantes, ou évocatrices. Ils veulent des phrases qui expriment avec exactitude les idées. La première condition, c'est que ces phrases soient conformes à l'ordre de la langue, à son architecture. Ce qu'on appelle aussi la **syntaxe**. Sans cette première condition, on ne peut rien dire. Imagine, par exemple, que je te dise: « vert et ou puisque ».

– *Quoi ?*

– « Vert et ou puisque. »

– *Ça ne veut rien dire !*

– Non, effectivement, ça ne veut rien dire. Ce sont quatre mots que tu connais, mais la manière dont ils sont assemblés ici ne forme aucun sens. Première condition: pour avoir une idée à examiner, il faut avoir une phrase correctement construite.

Mais ça ne suffit pas. En effet, si je te dis « le cercle est carré », c'est une phrase bien construite (sujet, verbe, attribut), mais elle est insensée, et même impensable. Elle ne contient aucune idée. Tu peux toujours essayer de penser à un cercle carré, tu n'y arriveras pas ! Ou bien c'est vraiment un cercle, et il est impossible qu'il soit en même temps carré, ou bien c'est un vrai carré, et il ne peut pas être un cercle en même temps !

– Dis, on est toujours en train de parler de la philo, ou on joue aux devinettes ?

– Un peu de patience… Car c'est important. En effet, si l'on cherche la vérité dans les idées, il faut passer par des phrases. Comme toutes les autres, ces phrases sont faites de mots. La vérité, ce n'est pas une déesse, ni une région du monde mystérieuse et inaccessible. C'est tout simplement une propriété des phrases : certaines sont vraies, d'autres fausses. Il faut donc observer comment les phrases sont construites, et voir si elles ont un sens ou non.

Un premier travail possible peut être de mettre de côté toutes les phrases du type « cercle carré ». Ces phrases-là ne correspondent à aucune idée. Ce sont des **contradictions** et on peut les laisser tomber, parce qu'il n'y a aucun moyen de les penser. En revanche, on peut penser des tas de choses qui ne contiennent pas de contradictions, même si ces choses n'existent pas dans la réalité. Par exemple, je peux penser une montagne d'or, ou bien un cheval avec des ailes. Ce sont des choses qui sont **possibles** à penser. Elles sont possibles « en idée », si tu préfères, bien qu'elles ne soient pas réelles. Ce n'est plus du tout le même cas que le cercle carré. C'est un autre cas, qu'on pourrait appeler les « poils de tortue ».

– Les poils de tortue ?

– C'est une vieille blague des philosophes bouddhistes d'autrefois. Ils imaginent qu'on cherche la réponse à cette question : « Les poils de tortue sont-ils durs ou mous ? » En réalité, il n'y a aucune réponse à cette question, ni réponse vraie, ni réponse fausse. Tout simplement parce que les tortues n'ont pas de poils…

Cette fois, les choses sont encore différentes : je peux penser des poils de tortue (ou bien une montagne d'or), mais cette idée n'a pas de correspondance dans la réalité.

Avant de savoir si une idée est vraie ou fausse, il y a donc au moins trois choses à faire : 1 – voir si la phrase exprimant cette idée n'est pas un charabia (du type « vert et ou puisque ») où il n'y a rien à penser ; 2 – voir si la phrase ne contient pas une contradiction (de type « cercle carré »), qui rende l'idée impossible à penser ; 3 – voir si la phrase porte sur quelque chose qui existe réellement, et non pas sur une chose possible (du type « poils de tortue ») mais pas réelle.

Tu verras : si tu y réfléchis calmement, ce n'est pas si compliqué que ça. D'ailleurs, ce n'est pas grave si tu ne saisis pas toutes les conséquences de ce qu'on vient de dire. L'important, c'est de comprendre que l'activité de la philosophie, pour chercher des idées vraies, passe forcément par un travail sur les mots, sur le langage et sur la logique, c'est-à-dire sur la manière dont les mots et les idées sont organisés entre eux. Les Grecs ont vu cela dès l'Antiquité. Sais-tu d'où vient le terme « **logique** » ?

– *Non, pas du tout.*

– Directement du grec «*logikos*», adjectif qui est formé sur le nom «*logos*». «*Logos*» est un mot très curieux. Tu te souviens de «*sophos*» (le *sophe* de philo*sophe*) qui veut dire savant et sage à la fois. Eh bien, «*logos*» signifie à la fois «la parole» (le langage), «la raison» (la capacité de réfléchir, de construire des démonstrations, des déductions) et enfin «le calcul»! Quand on définit l'homme comme un animal «*logikos*», en grec cela veut toujours dire à la fois un animal «parlant» et un animal «doué de raison».

C'est une indication importante pour ce qui nous occupe. Parler et penser sont deux activités profondément liées. Les liens des idées entre elles, leurs rapports, l'existence même des idées sont en relation directe avec le langage humain. Être capable de raisonner, c'est en fin de compte la même chose que d'être capable de manier les signes d'une langue. D'ailleurs, tu remarqueras que les mots nomment des idées et pas des choses…

– Je ne suis pas du tout d'accord. Si je dis «tout à l'heure, j'ai mis des fleurs dans le vase, et maintenant je suis assise sur le canapé», il ne s'agit que de noms de choses! Tout ça, c'est concret: les fleurs ne sont pas des idées! D'ailleurs, le vase non plus, ni le canapé!

– Donc, j'aurais tort. À ton avis, les mots ne nomment pas des idées, mais de vrais objets, ou de vraies personnes…

– *Oui, c'est exactement ça.*

– Désolé, mais c'est une illusion. Voilà un bon exemple d'une pensée qu'on croit vraie mais qui, en fait, ne tient pas.

– *Comment ça ? C'est pourtant vrai ! Je parle des fleurs et du canapé, pas d'une idée !*

– Si tu dis le mot « fleur » à n'importe quelle personne, à quoi va penser cette personne ?

– *À une fleur, évidemment…*

– Est-ce que cette personne va penser à cette fleur-là, celles qui sont ici, maintenant, et que tu as mises dans le vase tout à l'heure ?

– *Bien sûr que non. Encore une drôle de question !*

– J'ajoute une dernière question bizarre : est-ce la même chose pour le mot « canapé » et notre canapé ? Si tu dis ce mot à quelqu'un, tu es d'accord que ce n'est pas ce canapé où tu es assise qu'il aura à l'esprit.

– *Non, bien sûr… On va où, là ?*

– On va vers un résultat qui ne va pas tellement te plaire… Le mot « fleur » ne fait pas penser forcément à ces fleurs-là qui sont devant nous. Il fait penser à quoi ?

– À n'importe quelle fleur…

– Exact. Et n'importe quelle fleur, est-ce que ça ne serait pas, par hasard, l'idée de fleur ?

– Je n'y comprends plus rien !

– Revenons en arrière. J'affirmais que les mots désignent toujours des idées. Tu as refusé cette affirmation, en disant que des mots comme « fleurs », « vase », « canapé » nommaient les vraies choses qui sont ici. C'est pourquoi j'ai insisté : quelqu'un qui entend le mot « fleur » pense-t-il à ces fleurs-là ? Tu es d'accord que non. Mais alors à quoi pense-t-il ? À la fleur « en général ». En disant seulement « fleur », on ne dit pas si c'est une rose, une marguerite, un chrysanthème, une pivoine ou n'importe quoi d'autre. Mais cette fleur « en général », j'ai bien peur que ce soit purement et simplement… l'idée de fleur ! Et rien d'autre ! C'est ce qu'il y a de commun à toutes. Ce n'est aucune fleur en particulier, ni en réalité. Et tous les noms communs sont semblables : ils renvoient à des idées, forcément générales, pas à des choses. C'est valable pour tous les noms communs, et pour toutes les langues. Et donc aussi pour… le canapé, par exemple !

– Mais alors sur quoi je suis assise ?

– Sur le canapé, bien sûr…

– Et c'est une idée ?

– Non, c'est bien une chose ! Aucune personne au monde ne s'est jamais assise sur une idée, je pense que tu seras d'accord.

– Alors, quand je parle de canapé, je parle d'une chose ou d'une idée ?

– Les deux ! Et c'est précisément de là que viennent nos difficultés. Quand tu parles du canapé, tu parles de l'idée d'une chose (l'idée en général de ce type de meuble) et tu es assise sur un des exemplaires de cette chose. On pourrait dire aussi qu'il ne faut pas confondre le canapé et « le canapé ».

– Aïe… dans quoi on arrive ?

– Dans un éclaircissement, j'espère. Appelons « le canapé », entre guillemets, l'idée générale de ce meuble. Personne ne s'est jamais assis sur « le canapé », pas plus que personne, jamais, n'a cueilli ou senti « la fleur ». Mais quand tu dis « je suis assise dans le canapé », tu te sers de cette idée générale pour parler de *ce* canapé-là, le nôtre, dans *ce* salon. C'est une chose concrète, pas du tout une idée. En fait, tu dis « le » canapé en utilisant l'article comme un démonstratif. Tu es assise dans *ce* canapé, dans *le* canapé (qui est là, qui est le nôtre), pas dans « le canapé » en général.

– Je commence vaguement à comprendre. C'est un drôle de truc, la philo… Et ça marche pour tous les mots ?

– En tout cas pour tous les noms communs. Si tu entends le mot « femme », tu le comprends. Il ne désigne aucune personne en particulier. Et jamais, jamais tu ne rencontreras dans la rue, ni ailleurs, « la femme » en général, pas plus que « l'homme », ou « le nombre deux »…

– Pourtant, des tas de choses vont par deux, le genre chaussures, chaussettes, gants, skis…

– Mais tu ne rencontres jamais dans ton placard, ou sur les pistes de ski, « le deux » ! « Le deux », il n'existe que dans ta tête, et le mot (« deux » en français, « two » en anglais, « zwei » en allemand, « dos » en espagnol, etc.) désigne cette idée. Comme tu le constates, c'est une idée très simple et très claire, l'idée de « deux ». Tu la penses sans aucune difficulté, et tu ne la confonds pas avec d'autres idées (le un ou le trois, par exemple). C'est donc très clair et précis, et pourtant… c'est **abstrait** !

– C'est pas ça que j'appelle abstrait !

– Je sais bien. J'imagine que tu appelles « abstrait », comme presque tout le monde, un discours difficile à comprendre, où l'on ne voit pas clairement de quoi il est question. Un truc abstrait, c'est flou et confus, c'est un truc qui « prend la tête »…

– Ben oui…

– Ben non ! Ce n'est pas une bonne définition. Ça marche autrement. Est *abstraite* une réalité qu'on peut seulement penser. « Deux », le nombre deux, est une réalité de ce type. Tu ne peux pas toucher le nombre deux, ni le voir, ni le goûter… Est *concrète* une réalité qu'on peut voir, toucher, manipuler… bref, une réalité matérielle. Tout ce qui se pense est abstrait, tout ce qui se perçoit par les cinq sens est **concret**.

– Là, j'ai un problème. Tu as bien dit que si ça passe par un des cinq sens, c'est concret ?

– Oui, en gros, on peut dire ça.

– Mais les mots, je les entends ! Ou bien, je les vois écrits ! Alors comment peux-tu dire qu'ils désignent des idées abstraites ?

– Bravo… Très bonne question. Regarde, par exemple, le panneau qui signifie « sens interdit ». Tu sais, comme tout le monde, que c'est un cercle rouge avec une barre blanche horizontale. Ce cercle, c'est de la tôle et de la peinture. Tu peux le regarder de toutes les façons et sous tous les angles, tu ne trouveras pas dans la tôle et la peinture l'idée « interdit de rouler dans ce sens dans cette rue». Cette idée est seulement dans la tête, pas dans la tôle. On a relié un dessin et une idée. Le dessin, concret, évoque l'idée, abstraite. Un **signe** est toujours à deux faces, l'une concrète et l'autre abstraite. D'un côté, c'est une chose, de l'autre côté, c'est une idée.

Avec les mots, c'est pareil. Tu entends des sons, ou bien tu vois des lettres. Ces éléments physiques évoquent les idées qui leur ont été associées. Ce que tu entends, c'est le son «deu» (ou «tou», ou «tzwaï»), ce n'est pas... l'idée de deux ! Vu ?

– Vu ! J'aimerais quand même que tu m'expliques quelle importance peut avoir tout ça. Je ne vois pas bien à quoi ça peut servir !

– Je comprends. Tu dois te dire à peu près : «Il devait être question du bonheur, de la justice, de la vérité, et voilà que débarquent des coupages de cheveux en quatre sur les mots et les choses, sur la façon de faire des phrases, et des tas de complications dont on ne voit pas trop d'où elles viennent ni où elles vont.» Je me trompe ?

– Non, c'est vrai, il y a de ça...

– Et c'est normal. Il faut donc remettre en place ce qu'on vient de dire, pour y voir clair. Tu te souviens que nous étions partis de cette constatation : pour chercher une vérité, il faut passer par des phrases.

– *Oui, mais quel rapport avec notre parcours ?*

– Eh bien, ce parcours nous a montré que la philosophie passe par les mots, et par certaines façons de les interroger. La plupart du temps, on parle sans se poser de questions, presque sans réfléchir. Les philosophes, eux, font attention à ce qu'ils disent. Ils disent en y pensant ce que tout le monde dit sans y penser.

C'est pourquoi la philosophie est aussi une forme de réflexion sur le langage, sur ses mécanismes, sur ses pouvoirs et ses limites. Chercher des vérités, chasser des illusions, ça se fait avec des mots, par des mots, dans des mots. C'est pour cela qu'il fallait chercher comment se construisent les phrases, comment elles entrent en rapport avec les choses. C'est pour cela, aussi, qu'il fallait s'interroger sur la manière dont les idées sont liées aux mots.

D'accord, ça paraît curieux. Voilà qu'on se met à faire de la grammaire et de la logique ! Au lieu de faire de la philo ? Non, parce qu'on s'aperçoit vite que c'est indispensable. Pour faire le tri entre les vraies idées et les illusions, nous avons besoin de mots et de phrases. Il faut donc savoir comment marchent ces outils, ce qu'on peut en attendre, et quels sont les pièges à éviter.

4

Tant de chemins de liberté !

– Bon, j'espère que maintenant tu as une vue plus claire de ce que désigne le terme « philosophie ». Pourtant, il reste un dernier tour d'horizon pour compléter cet ensemble. Nous avons des éléments de définition. Nous avons entrevu l'importance du langage, et les quelques lignes de la longue histoire de la philosophie. Pour finir, il faut apercevoir la diversité des domaines de la philosophie.

– *Qu'est-ce que tu appelles les domaines de la philosophie ?*

– Autrefois, on parlait des « parties de la philosophie ». Ce n'était pas mieux. Je t'avoue que je ne sais pas quel mot employer. Aucun terme ne convient parfaitement. Peu importe, après tout. L'essentiel, c'est l'idée. Et elle est facile à comprendre.

La philosophie est une seule activité, mais elle possède plusieurs façons de se développer, et aussi plusieurs secteurs de réflexion.

– Par exemple ?

– Commençons par le plus difficile. La **métaphysique** est la partie de la philosophie qui cherche à s'interroger sur les points les plus fondamentaux de la réalité. Pourquoi existons-nous ? Qu'appelle-t-on « être » ? Pourquoi y a-t-il quelque chose plutôt que rien ? Voilà le genre d'interrogations dont s'occupe la métaphysique.

– Et on a trouvé ?

– Trouvé quoi ?

– Eh bien, des réponses !

– Bien sûr, mais aucune n'est certaine. Ce sont toutes des constructions qui sortent du domaine que nous pouvons vérifier. Une autre branche de la philosophie est la **logique**. C'est l'étude des démonstrations et des raisonnements. Elle est importante, parce qu'en cherchant des idées vraies, on risque toujours de se faire piéger par des erreurs de raisonnement.

– Par exemple ?

– Je te dis : « Tous les *x* sont des *y*. » Maintenant, je te demande ce que tu peux en déduire avec certitude, même si tu ne sais pas du tout ce que sont ces *x* et ces *y*.

– *Que tous les* y *sont des* x ?

– Eh non ! « Toutes les blondes sont des femmes », ça ne permet pas de conclure « toutes les femmes sont des blondes » ! Tu peux seulement en déduire : « *certaines* femmes sont blondes ». Si « tous les *x* sont des *y* », alors « *certains y* sont des *x* », ou si tu préfères avec un exemple concret, si « toutes les blondes sont des femmes », alors il est sûr que « *certaines* femmes sont des blondes ». Voilà tout ce qu'on peut déduire de façon cohérente.

L'erreur que tu as faite est souvent commise. Or elle peut conduire à de graves égarements dans le raisonnement. C'est pourquoi il est essentiel d'étudier la logique. Celle-ci se consacre à la forme des raisonnements, indépendamment du contenu des phrases.

– *Je crois que je comprends, mais sois plus explicite…*

– Je reprends l'exemple précédent. On vient de voir que si « tous les *x* sont des *y* », ce que je peux déduire, c'est que « certains *y* sont des *x* ». D'accord ?

– *Ça, ça va…*

– Eh bien, cette forme, je vais pouvoir la remplir, comme un moule, avec des éléments très divers. Tout à l'heure, je proposais : « *x* = blondes »,

« y = femmes », et ça donnait « si toutes les blondes sont des femmes, alors certaines femmes sont blondes ».

Mais, dans cette forme du raisonnement, je peux mettre des éléments qui ne correspondent à rien. Essayons par exemple avec : « x = porte-avions » et « y = chewing-gum à la fraise ». Ça donne : « Si tous les porte-avions sont des chewing-gums à la fraise, alors certains chewing-gums à la fraise sont des porte-avions ». Qu'est-ce qui se passe, dans ce cas ? Les phrases sont absurdes, elles ne correspondent à rien dans la réalité. Mais le raisonnement est juste. Il est bien construit. Sa forme est bonne, et la déduction est correcte.

Ainsi, il est possible d'avoir un raisonnement correct sur des éléments absurdes ou faux. Parce que le raisonnement est une forme qui est indépendante de ce qu'on met dedans. Les philosophes de l'Antiquité et du Moyen Âge avaient parfaitement repéré cela. Ils ont étudié, trié et classé les différentes formes de déduction. Depuis une centaine d'années, la logique s'est développée en devenant de plus en plus élaborée, au point qu'il s'agit aujourd'hui d'une branche des mathématiques.

– Elle s'est séparée de la philosophie ?

– Finalement, oui. En devenant de plus en plus technique, la logique a fini par former une discipline à part entière. Ce n'est pas le seul exemple.

Il existe d'autres domaines qui appartenaient autrefois à la philosophie et qui se sont, progressivement, émancipés. Par exemple, la psychologie.

– C'était aussi une partie de la philo ?

– Absolument. La **psychologie**, mot à mot, c'est l'étude de l'âme («*psychè*», en grec ancien). Les philosophes n'ont cessé de réfléchir, tout au long de l'histoire, à la manière dont nous relions nos sensations, à la façon dont fonctionnent notre mémoire, nos associations d'idées, nos émotions, nos sentiments. Ils ont écrit des tonnes de choses sur le désir, l'amour, l'amitié, la pitié, la haine, l'angoisse, la sérénité…

Et puis, il y a, une centaine d'années au moins, là aussi, la psychologie s'est détachée de la philosophie en devenant de plus en plus expérimentale et scientifique. Aujourd'hui, comme tu le sais sans doute, il existe de nombreux centres de recherche dans le monde où des scientifiques observent le fonctionnement du cerveau. Ils essaient de découvrir comment marche la vision, ou comment sont stockés nos souvenirs. Ils cherchent aussi à découvrir ce qui se passe dans notre cerveau quand nous écoutons de la musique ou quand nous avons peur, par exemple…

Toutes ces explorations sont menées à l'aide de techniques que les philosophes des générations précédentes ne connaissaient pas et ne pouvaient même pas imaginer. Mais, et c'est ça que je veux souligner, avec ces machines nouvelles, les chercheurs aujourd'hui s'occupent des mêmes questions que les philosophes hier. Les rapports du corps et de l'esprit sont toujours au centre de leurs interrogations.

Comment se forme notre conscience ? Comment la volonté commande-t-elle aux muscles ? Ou bien : pourquoi rions-nous ? À quoi correspondent les pleurs ? Voilà quelques-unes des questions que les philosophes ont explorées et qui continuent d'être au centre de travaux scientifiques. D'ailleurs, il arrive fréquemment que les chercheurs travaillant dans ces domaines reviennent sur les théories des philosophes. Ils les discutent, leur donnent tort ou raison.

– Si je comprends bien, il y a eu autrefois des philosophes, aujourd'hui il y a des scientifiques qui s'occupent des mêmes questions !

– Oui et non. Oui, parce que c'est bien ainsi que ça se passe, en gros, en psychologie et en logique. Non, parce que les philosophes ne sont pas une espèce disparue ! Ce serait une erreur d'imaginer qu'ils existaient dans les temps anciens et qu'ils sont remplacés aujourd'hui par des hommes de sciences. Il y a d'ailleurs un domaine important de la philosophie qui continue à se développer, depuis l'Antiquité jusqu'à aujourd'hui, et dont s'occupe une bonne partie des philosophes contemporains. C'est ce qu'on appelait « philosophie **morale** et **politique** ».

– Pourquoi mettre ensemble « morale et politique » ? C'est différent !

– Quelle différence fais-tu ?

– La morale c'est une chose personnelle, ça dépend de chacun. La politique, ça concerne plus de monde. C'est plus collectif…

– Je trouve tes affirmations très discutables. En effet, quand on établit ce qui est « bien » et « mal », cela doit s'appliquer à plusieurs personnes, et même, le plus souvent, à tout le monde ! Difficile, me semble-t-il, de soutenir que chacun invente sa morale…

Par contre, il y a bien un point commun entre morale et politique, c'est le rapport entre plusieurs personnes. Les actions justes ou injustes, les comportements héroïques ou criminels, les vertus ou les vices, cela met en jeu des relations entre les gens. Difficile de faire le bien ou le mal si l'on se trouvait, comme Robinson sur son île déserte, incapable de rencontrer le moindre être humain ! C'est parce que nous sommes plusieurs et que nous vivons les uns avec les autres que nous pouvons être bons ou mauvais envers nos semblables.

C'est toujours à quelqu'un que nous faisons du bien ou du mal. Et c'est toujours quelqu'un qui nous en fait. Bref, toutes les questions de morale sont liées au fait que nous sommes en relation avec nos semblables. Toutes sortes de relations, évidemment. D'amour, de parenté, d'amitié, de travail, de concurrence, d'entraide, de solidarité, de compétition, de camaraderie, etc. Ces relations sont différentes. Mais elles impliquent toutes une communauté humaine et des règles de vie, c'est-à-dire une morale. La politique est du même ordre. Tu sais d'où vient ce mot ?

– *Encore du grec ?*

– Encore du grec ! «*Politeia*», c'est la constitution, la manière dont est organisé le pouvoir dans une «*polis*», c'est-à-dire une cité, un État. Là aussi, il s'agit d'abord des relations entre les gens, mais considérées sous un angle particulier. Il s'agit de savoir comment vont se prendre les décisions concernant les affaires communes. Qui décide ? Un seul ? Quelques-uns ? Désignés comment, et par qui ? Pour toujours ? Pour un temps limité ? Voilà le genre de questions que pose la réflexion sur la politique. Et les philosophes n'ont jamais cessé d'y réfléchir.

– *Les philosophes font de la politique ?*

– Oui, et ils continuent. Ce n'est pas comme un militant ou un homme d'État qu'ils font de la politique. Mais ils continuent de s'interroger sur le meilleur régime politique, sur la nature du pouvoir, sur le rapport entre les individus et l'État. Évidemment, il y a des écoles et des analyses qui s'opposent et les questions évoluent aussi avec les époques. Depuis la Révolution française, qui avait été largement influencée par les idées des philosophes, on s'est préoccupé des droits de l'homme, de la défense des libertés des citoyens.

À l'époque de la Révolution française, il s'est produit aussi un changement important dans la manière de définir la morale. C'est Kant, un philosophe allemand de la fin du XVIIIe siècle, qui s'est interrogé sur cette question. Comment savoir ce que je dois faire ? Ai-je un moyen de connaître mon devoir de façon sûre et certaine ? Voilà ses questions de départ.

– Mais ça dépend des gens ! C'est différent pour chacun !

– Écoute plutôt l'histoire donnée par Kant comme exemple. Il dit qu'un enfant de dix ans peut la comprendre... Un homme reçoit de son prince l'ordre de faire un faux témoignage contre un innocent. Il ne connaît pas cet homme et n'a aucun lien particulier avec lui, mais, s'il témoigne, cet innocent sera condamné. Si l'homme obéit au prince, il sera protégé et récompensé. S'il refuse, il va lui arriver les pires ennuis. Quel est son devoir ?

– Son devoir, c'est de ne pas témoigner.

– Parfaitement, mais pourquoi ?

– Parce qu'on ne peut pas tuer quelqu'un qui n'a rien fait !

– Oui. Plus exactement : on ne *doit* pas tuer quelqu'un qui n'a rien fait, car physiquement on peut… Kant ajoute que le seul fait de témoigner faussement est moralement interdit parce que cela fausse tout le témoignage. Tu vois l'idée : si on peut mentir quand on témoigne, alors plus aucun témoignage n'est crédible.

As-tu remarqué une chose ?

– Non, quoi ?

– Tu as répondu spontanément que ça ne se faisait pas, qu'il ne fallait pas accepter de porter ce faux témoignage.

– Bien sûr. Et alors ?

– Crois-tu que tes amis diraient la même chose ?

– Ah oui, ça, sûrement !

– Eh bien, tu vois, tu ne peux pas dire que « ça dépend des gens » ! Ce n'est pas différent pour chacun… En fait, ce que montre Kant, c'est que tout le monde sait, ou peut savoir facilement, quel est son **devoir**. Et ce devoir est le même pour tous, dans des situations semblables.

Ce qui dépend des gens, ce n'est pas le devoir. C'est de le faire ou non. Je sais ce que je dois faire, mais je peux choisir de faire autre chose… Dans le cas de cet homme, Kant imagine d'ailleurs un scénario de plus en plus dramatique :

le prince l'emprisonne, sa femme et ses enfants viennent dans sa cellule le supplier d'obéir. S'il continue à vouloir sauver cet innocent qu'il ne connaît pas, il va causer sa propre perte, mais aussi la ruine de sa famille et le malheur de ses enfants.

On peut imaginer qu'il finisse par craquer. Il pourra peut-être préférer sauver sa peau, ou le bonheur des siens, que de se conduire de façon morale. Chacun est toujours libre de ne pas se conduire moralement, de ne pas faire son devoir. Mais pas par ignorance, ou parce que le devoir serait variable.

– Tu veux dire que la morale est fixe et que ce sont les gens qui se placent différemment ?

– Oui, on pourrait dire quelque chose comme ça. Le devoir est le même pour tous, et les décisions de l'accomplir ou non sont diverses.

Il reste un élément important à souligner. Dans la morale comme dans la réflexion politique, il existe un point commun, lié à la réflexion philosophique. C'est l'idée d'**universel**. On vient de voir que le devoir est le même pour tous. Ça veut dire qu'il n'est pas différent pour un homme et pour une femme, ou pour un blanc, un noir, un jaune, ou pour un riche et un pauvre. Et quand on parle des droits de l'homme, par exemple, tu te souviens qu'il s'agit de la Déclaration *universelle* des droits de l'homme. Elle n'est pas valable seulement au Nord, ou seulement les jours impairs, mais en tout temps et en tout lieu. C'est cela que veut dire universel : valable pour tout le monde, en tout temps et tout lieu.

Est-ce que tu vois d'autres choses qui sont considérées comme universelles ?

– *Les mathématiques ?*

– Oui, très bien. On peut aussi y ajouter les lois de la logique, comme celles qu'on a aperçues tout à l'heure. Et même, sur un autre plan, les idées de la métaphysique : si on trouvait pourquoi le monde existe, ça devrait être valable partout. Est-ce que tu te rends compte d'une chose ? Nous sommes en train de revenir vers notre point de départ.

– *Qu'est-ce que tu veux dire ?*

– Eh bien, s'il y a une chose qui est universelle, c'est l'idée de vérité ! Une idée vraie n'est pas limitée à un pays, ou à une période de l'histoire. Si elle est « vraiment vraie », si j'ose dire, vraie comme « deux et deux font quatre », alors elle est universelle, c'est-à-dire valable pour tous, en tout temps et en tout lieu.

Autrement dit, la philosophie n'est pas seulement la recherche des idées vraies. On doit ajouter que ces idées vraies sont universelles et qu'on les trouve en nous servant de notre raison dans toutes sortes de domaines et sur toutes sortes de sujets.

Je te vois bien soucieuse. Qu'est-ce qui se passe ?

– J'ai un problème. Si c'est comme tu le dis, pourquoi les philosophes ne sont-ils pas tous d'accord entre eux ? Ils se servent de la même raison. Ils ont la même logique. Ils cherchent tous la vérité. Ils sont d'accord qu'elle doit être universelle. Et malgré tout, ils sont tous en train de dire des choses différentes. Pourquoi ?

– C'est un très grand problème, et aussi un très vieux problème. Déjà, dans l'Antiquité, tu vois qu'on y revient toujours, on se moquait des désaccords des philosophes. Déjà, on s'en servait pour dire que la philosophie n'arrivait à rien. On a l'impression d'une foire où chacun a son stand et dit : « C'est ici, chez moi, que se trouve la vérité ! » On peut trouver ça suspect, ou ridicule, ou décourageant.

En fait, nous sommes dans des domaines où, la plupart du temps, personne n'est en mesure d'atteindre cette vérité universelle qui finirait par mettre tout le monde d'accord. Mais ça n'empêche pas de chercher, de toujours continuer à chercher.

Pour faire de la philosophie, il me semble, finalement, qu'il faut être à la fois très ambitieux et très modeste. Très ambitieux, parce qu'on ne cesse pas de vouloir tout comprendre, tout résoudre, tout analyser. Et puis très modeste, parce qu'on ne doit jamais oublier que ce but n'est pas totalement accessible, que nos moyens sont limités, et que l'effort est sans fin.

Il y avait chez les Grecs de l'Antiquité une opposition qui pourrait nous servir ici : l'Un et le multiple.

– *C'est quoi ?*

– Une manière d'exprimer en deux mots beaucoup de situations diverses. Du côté de l'Un : l'unité, l'unification, le fait d'avoir *une* solution, *une* réponse, *une* vérité. Du côté du multiple, comme son nom l'indique : la diversité, la dispersion, la multiplication des recherches, des solutions, des réponses.

Chacun de ces deux extrêmes est inaccessible. Il n'y aura jamais *une seule* philosophie. Mais il n'y aura jamais non plus une *infinité* de pensées sans rapport les unes avec les autres. Il n'y a pas sur terre des milliards et des milliards de systèmes de pensée sans aucune ressemblance et incapables de se comprendre.

Tout se joue dans une forme de tension permanente entre la diversité et l'unité. Du côté de la diversité, il y a toujours des idées nouvelles et différentes, des manières de voir particulières, des conflits. Et du côté de l'unité, il y a toujours des efforts pour relier ces éléments entre eux, pour les comparer, et si possible les rapprocher.

C'est pourquoi il y a de multiples philosophes, de multiples écoles de pensée, de multiples domaines de réflexion, mais seulement *une* activité qu'on appelle *la* philosophie.

– *Il y a tellement de choses... Je n'arriverai jamais à tout découvrir !*

– Cela n'a aucune importance. Personne ne peut lire tous les livres, ni écouter toutes les musiques... L'important est de parvenir à trouver ton propre chemin à travers les idées. Le mieux, ce serait que tu arrives à te faire chez les philosophes des amis, et des ennemis.

– *Qu'est-ce que tu veux dire ?*

– Les amis, ce seront des philosophes qui développent des pensées que tu as déjà. Ils t'aideront à découvrir la force et la richesse de certaines de tes pensées. Ils te donneront des arguments, ils te permettront d'approfondir et de renforcer ce que tu as déjà pressenti.

– *Et les ennemis ?*

– Ce sont les philosophes dont on se dit, en les lisant : « Mais comment peut-on penser une chose pareille ? C'est insensé, impossible ! C'est monstrueux ! Je n'imaginais même pas que ça existe. » Ces ennemis sont indispensables. Ils sont même très précieux. Grâce à eux, tu peux découvrir des perspectives nouvelles, des idées que, par toi-même, tu n'aurais jamais eues.

En tout cas, l'essentiel, c'est de ne pas s'ennuyer, de lire des gens qu'on aime ou qu'on déteste, de pousser des cris de joie ou de colère. Je crois que cela aide à déclencher les pensées.

– Oui, mais il arrive qu'on s'ennuie, surtout si on ne comprend rien !

– Si vraiment l'on s'ennuie trop, il faut arrêter. C'est aussi simple que ça. Mais dire qu'on ne comprend rien, je n'y crois pas. Ce n'est pas vrai. Dans un livre, il y a toujours un chapitre qu'on comprend à peu près. Dans un chapitre, il y a toujours une page. Dans une page très obscure, il y a toujours une phrase que l'on comprend parfaitement.

– Et alors ?

– Eh bien, il faut s'agripper à ça, s'accrocher à ce qui est compréhensible. À partir de là, petit à petit, on avance dans ce qui est moins clair, ou tout à fait obscur. Avec un peu de patience et de méthode, le paysage deviendra peu à peu différent. La philosophie, finalement, permet toutes sortes d'aventures, de périples, de trajectoires. C'est aussi une activité qui fait voyager, à sa façon. À toi, maintenant, de tracer ton chemin !

Dans la même collection

Tahar Ben Jelloun
Le Racisme expliqué à ma fille
1998 ; nouvelles éditions 1999, 2004

Régis Debray
La République expliquée à ma fille
1998

Max Gallo
L'Amour de la France expliqué à mon fils
1999

Sami Naïr
L'Immigration expliquée à ma fille
1999

Jacques Duquesne
Dieu expliqué à mes petits-enfants
1999

Jean Ziegler
La Faim dans le monde expliquée à mon fils
1999

Annette Wieviorka
Auschwitz expliqué à ma fille
1999

Lucie Aubrac
La Résistance expliquée à mes petits-enfants
2000

Jacques Sémelin
La Non-violence expliquée à mes filles
2000

Nicole Bacharan et Dominique Simonnet
L'Amour expliqué à nos enfants
2000

Roger-Pol Droit
Les Religions expliquées à ma fille
2000

Jérôme Clément
La Culture expliquée à ma fille
2000

Henri Weber
La Gauche expliquée à mes filles
2000

Jacky Mamou
L'Humanitaire expliqué à mes enfants
2001

Jean Clottes
La Préhistoire expliquée à mes petits-enfants
2002

Tahar Ben Jelloun
L'Islam expliqué aux enfants
2002

Emmanuelle Huisman-Perrin
La Mort expliquée à ma fille
2002

Patricia Lucas et Stéphane Leroy
Le Divorce expliqué à nos enfants
2003